3

AU TRAVAIL !

Votre maître magicien vous a demandé d'aller chercher dans la ville de Séalta une formule magique et secrète très importante. C'est un nommé Séyal Dhotar, dit "le Juste", qui la détient. Le temps presse, car votre maître a besoin de cette formule afin de sauver la vie d'une fée.

Péniblement, après un long voyage, vous êtes parvenu aux portes de la ville. À présent, votre tâche consiste à trouver ce fameux mage. Il vous remettra l'inestimable parchemin en échange des sept pendentifs à pierre bleue que vous aurez repérés ou gagnés au cours de vos recherches. Lorsque vous en aurez découvert un, même si vous devez recommencer page 6, le bijou restera en votre possession.

Attention, la ville de Séalta est peuplée de toutes sortes de créatures et d'objets dont il faut se méfier.

Pour mener à bien votre quête, vous êtes accompagné de votre inséparable ami Fïndel, un petit fennec pas toujours très courageux, que votre maître a ramené d'un de ses voyages.

Bonne chance...

GARANTIE DE L'ÉDITEUR
Pour vous parvenir à son plus juste prix, cet ouvrage a fait l'objet d'un gros tirage. Malgré tous les soins apportés à sa fabrication, il est malheureusement possible qu'il comporte un défaut d'impression ou de façonnage. Dans ce cas, ce livre vous sera échangé sans frais. Veuillez à cet effet le rapporter au libraire qui vous l'a vendu ou nous écrire à l'adresse ci-dessous en nous précisant la nature du défaut constaté. Dans l'un ou l'autre cas, il sera immédiatement fait droit à votre réclamation.
Librairie Gründ - 60 rue Mazarine - 75006 Paris

Texte original et illustrations de Sandrine Gestin
Secrétariat d'édition : Justine de Lagausie

Première édition française 1995 par Librairie Gründ. Paris © 1995 Librairie Gründ
ISBN : 2-7000 - 4108-9
Dépôt légal : septembre 1995
Photogravure et photocomposition : Ipso Facto, Paris - Polices utilisées : Times / Clearface
Imprimé en France par Herissey

Loi n° 49-956 du 16 juillet 1949 sur les publications destinées à la jeunesse

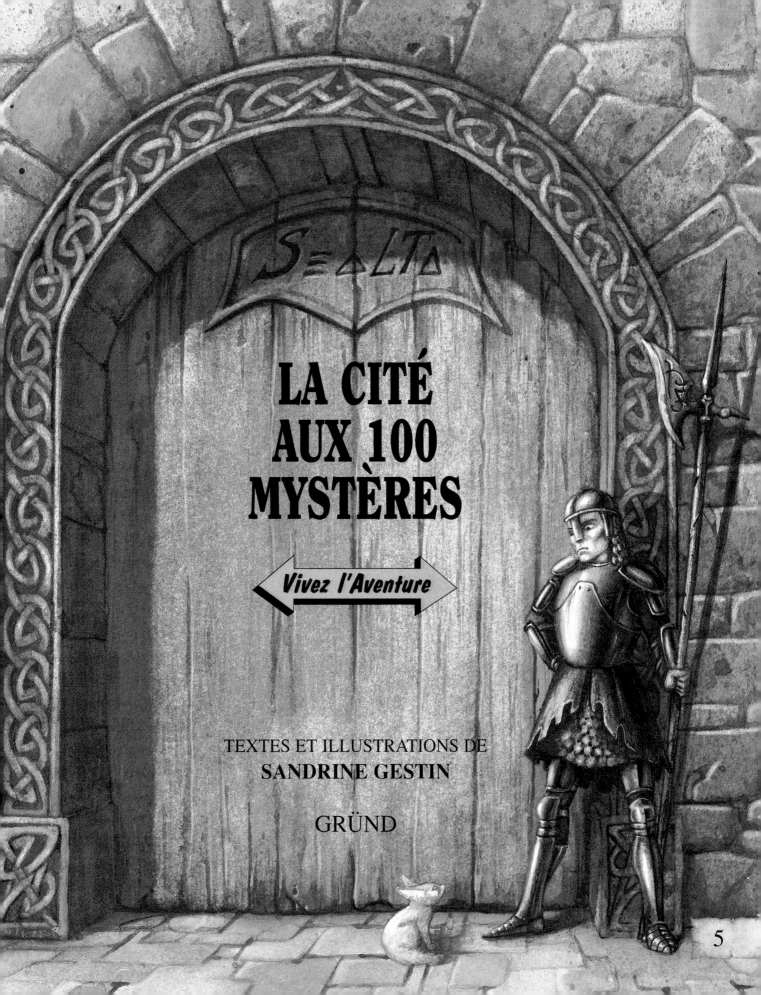

LA CITÉ AUX 100 MYSTÈRES

Vivez l'Aventure

TEXTES ET ILLUSTRATIONS DE
SANDRINE GESTIN

GRÜND

Vous vous trouvez à présent
dans la rue principale
de Séalta. Décidez-vous
d'entrer dans l'auberge afin
d'y recueillir quelques
informations ?
Dans ce cas, allez page 30.

Choisissez-vous
plutôt de vous
renseigner auprès
de ce jeune seigneur
au manteau rouge ?
Alors, rendez-vous
page 36.

Cet homme qui se tient près de vous est un magicien, comme l'atteste le symbole brodé sur son manteau. Il dit ne pas connaître Séyal Dhotar. Mais, visiblement, c'est le dernier de ses soucis. Lorsque vous lui avez demandé si vous pouviez l'aider, il n'a su que vous répondre : «Mes clefs, mes clefs... Mon dieu, j'ai perdu mes cinq clefs!» Il a promis le médaillon qu'il porte autour du cou à quiconque l'aidera à les retrouver. Gare aux fausses clefs! Faites preuve d'attention et vous constaterez que c'est un homme de parole...

Si vous entrez là, allez page 34.

Si vous
continuez
par ici,
allez
page 32.

9

La belle jeune fille
que vous avez suivie
s'est transformée en
une vilaine sorcière.
Elle barre l'entrée
de la ruelle et cherche
à vous voler.
Vous devez à tout
prix trouver
un moyen
de la neutraliser.
Lorsqu'elle sera
hors d'état
de nuire,
déciderez-vous
d'emprunter
la ruelle et d'aller
page 38, ou
choisirez-vous
de rester
dans la rue
principale,
située
page 32 ?

10

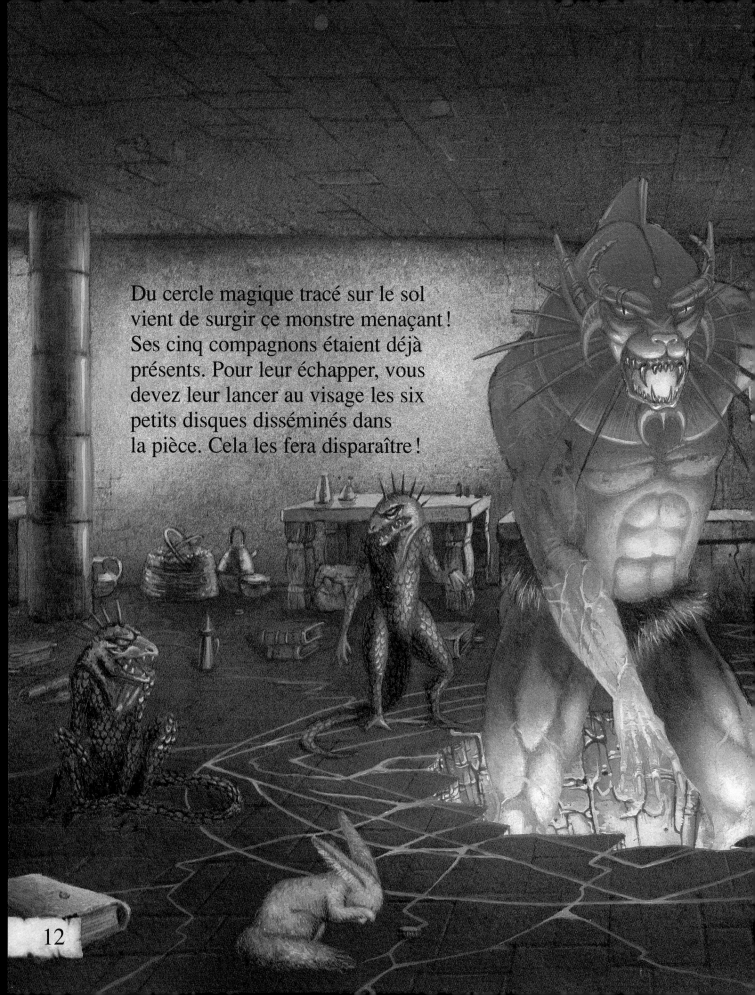

Du cercle magique tracé sur le sol vient de surgir çe monstre menaçant ! Ses cinq compagnons étaient déjà présents. Pour leur échapper, vous devez leur lancer au visage les six petits disques disséminés dans la pièce. Cela les fera disparaître !

Puisque vous n'avez toujours pas trouvé
Séyal Dhotar et son parchemin,
retournez page 6 et recommencez
par un autre chemin.

L'homme vous
a trompé !
Au lieu de
vous mener
à la maison de
Séyal Dhotar,
le plan vous
a conduit dans
les égouts !
La porte du
passage que
vous avez
emprunté
vient de
se refermer
derrière vous.
Pour échapper
aux rats et
sortir sain
et sauf,
vous devez
descendre
les escaliers
et trouver le
passe-partout.

Quoi qu'il
en soit,
vous n'avez
pas trouvé
le mage
Séyal
Dhotar
et son
précieux
parchemin
contenant
la formule
magique.
Alors,
courage !
Retournez
page 6.

Le gnome, qui dit se nommer Guilïn, prétend connaître le mage que vous cherchez. Vous l'avez suivi dans un passage souterrain. Seulement voilà, les dalles de pierres sombres sont piégées. Courageux comme il est, le gnome vous laisse passer devant ! Attention, les dalles foncées sont vivantes et peuvent vous dévorer les pieds en un instant ! Findel est déjà passé, faites comme lui !

Maintenant, Guilïn vous a rejoint mais il a un trou de mémoire.

Il ne peut se décider entre les deux escaliers. Lequel empruntez-vous ?

16

L'escalier de gauche ?
Rendez-vous page 24.
L'escalier de droite ?
Allez page 28.

Vous
empruntez ce
couloir ?
Allez
page 34.

À peine étiez-vous entré que le jeune seigneur s'est
éclipsé, prétextant un rendez-vous urgent. Entrent alors
dans le vestibule deux charmantes dames, visiblement
jumelles. Prenez garde : elles détestent qu'on les confonde
Trouvez les sept éléments qui les différencient
et vous pourrez visiter tranquillement la maison.

18

Par cette
porte ?
Rendez-vous
page 44.

Empruntez-vous
cette porte ?
Allez page 40.

Cet artisan ne vous a pas
vu entrer, tant il est absorbé
par son travail. Il n'est visiblement
pas très ordonné ! Parmi tous
les objets entassés, un être
malveillant a placé neuf poignards
qui pourraient le blesser.
Trouvez-les !
Ceci fait, où allez-vous ?

Cet escalier ? Allez page 24.

Un laboratoire de magie ! Vous allez enfin pouvoir faire valoir vos talents d'apprenti magicien. Vous devez verser l'élixir que vous venez d'obtenir dans l'un des trois tubes afin qu'il descende jusqu'au flacon rouge. Trouvez le bon tube, sinon tout explosera ! Quoi qu'il en soit, vous n'avez pas trouvé le mage Séyal Dhotar et son parchemin contenant la formule magique.

Gardez espoir et retournez page 6.

Bravo ! Vous avez
enfin trouvé
le magicien Séyal
Dhotar. Pour tester
vos compétences,
il vous demande de
découvrir les quatre
différences entre
ses deux aigles.

Cet examen passé,
il ne vous donnera
le précieux
parchemin qu'en
échange des sept
pendentifs que vous
deviez trouver.
Les avez-vous?
S'il vous en
manque, retournez
page 6 et ne
revenez qu'après
les avoir tous
réunis.
Ne désespérez
pas et à bientôt!

L'homme dont vous vous êtes
approché a l'air étrange.
Il vous propose de vous vendre
un plan de la ville qui révèle
l'emplacement des demeures
de tous les magiciens de Séalta.
Mais comme c'est un filou doublé
d'un joueur, il vous ordonne,
avant toute chose, de jongler.
Mais vous n'avez pas de quilles !
Trouvez-vous dans les alentours
quelque chose qui fasse l'affaire ?
Par miracle, vous vous révélez
être un bon jongleur !
Que décidez vous de faire ?
Acheter le parchemin ?
Allez page 14.
Ignorer son offre
et continuer votre chemin ?
Allez page 40.

Cette salle sent la magie à plein nez !
Dans le vieux grimoire près de vous,
vous avez lu une formule incantatoire.
Vous savez qu'elle peut faire apparaître
un être extraordinaire dans le cercle
magique, mais il est dangereux de la
prononcer.
Attention, un magicien ne laisse jamais
sa salle de magie sans protection ! Trouvez
les cinq créatures qui gardent les lieux.

Que faites-vous ensuite ?
Malgré le danger
que cela représente,
vous prononcez
une incantation ?
Rendez-vous page 12.
Vous passez votre chemin
et descendez par l'escalier ?
Allez page 22.

Parmi toutes les personnes que vous avez interrogées, personne ne semble connaître le mage Séyal Dhotar.

Une ribambelle d'enfants en pleurs s'approche alors de vous. Pour les consoler, remettez les frères et sœurs jumeaux ensemble.

Une fois les enfants calmés, pensez-vous que la femme en bleu puisse vous aider dans votre quête ? Dans ce cas, allez page 10. Pour quitter l'auberge, allez page 8.

Catastrophe ! Le troubadour
accroupi ne parvient pas
à récupérer les dix serpents
qui viennent de s'échapper
de sa poterie ! Trouvez-les
avant qu'ils ne mordent
quelqu'un, vous y compris !
Mais d'abord, munissez-vous
du bâton en forme de "Y"
qui vous permettra
de les attraper.

32

Le gnome sous le porche vous semble plus renseigné, alors rendez-vous page 16.

Un passant vous dit que le maroquinier connaît peut-être le magicien que vous cherchez. Si vous décidez de lui rendre visite, allez page 20.

Vous venez d'entrer dans un adorable petit jardin intérieur.
Mais attention, neuf dangers s'y cachent. Pouvez-vous
les trouver ? Ensuite, que faites-vous ?

Vous ouvrez cette porte ?
Allez page 28.

34

Vous vous approchez
du gnome ?
Allez page 16.

Arrivé à toute allure,
le destrier de ce chevalier
est devenu subitement fou.
Avant qu'il ne vous blesse
avec ses sabots,
trouvez les huit diablotins
qui l'effraient.

Ce jeune seigneur au manteau
rouge, que vous avez informé
de vos recherches, vous dit qu'il
peut certainement vous aider.
Si vous le suivez chez lui,
allez page 18.

Si vous
préférez
interroger
l'homme qui
vous tourne
le dos et qui
porte une
cape brodée
du signe des
magiciens,
rendez-vous
page 8.

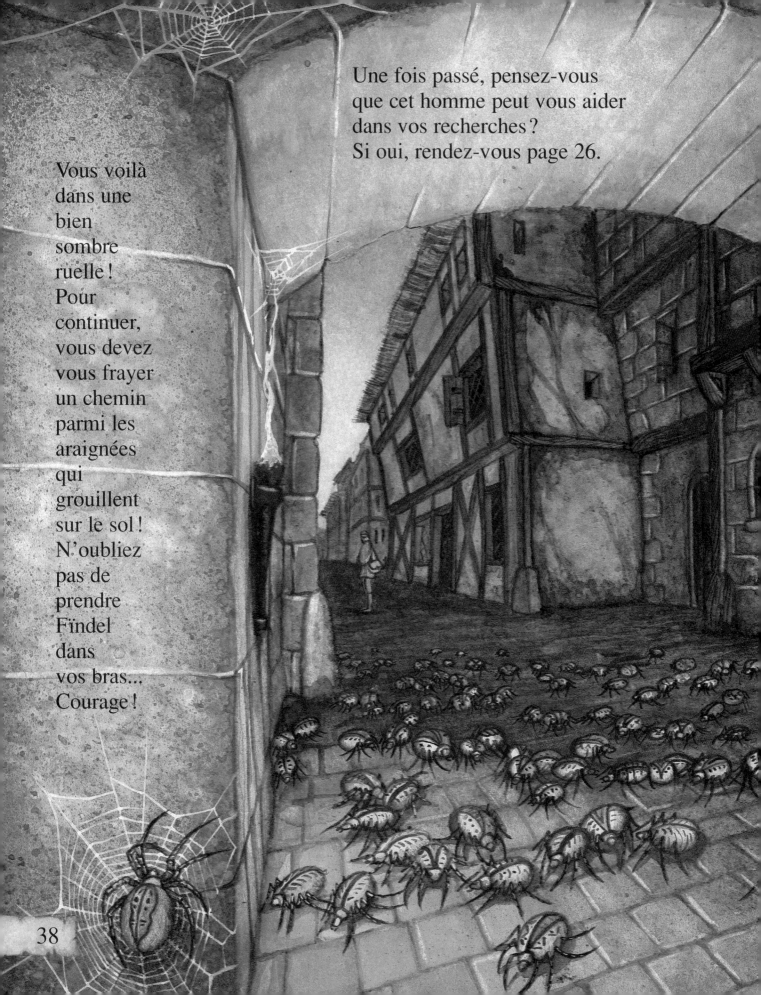

Une fois passé, pensez-vous
que cet homme peut vous aider
dans vos recherches ?
Si oui, rendez-vous page 26.

Vous voilà
dans une
bien
sombre
ruelle !
Pour
continuer,
vous devez
vous frayer
un chemin
parmi les
araignées
qui
grouillent
sur le sol !
N'oubliez
pas de
prendre
Fïndel
dans
vos bras...
Courage !

Vous préférez
emprunter
cette porte
qui semble
donner sur
une arrière-
boutique ?
Allez
page 20.

Cet invincible Troll vous barre le chemin. Insensible à vos menaces, il a néanmoins un point faible : il a peur des souris... Repérez en moins d'une minute les trois petits rongeurs cachés dans le décor sinon le Pont des Oublis où vous vous trouvez vous fera perdre la mémoire !

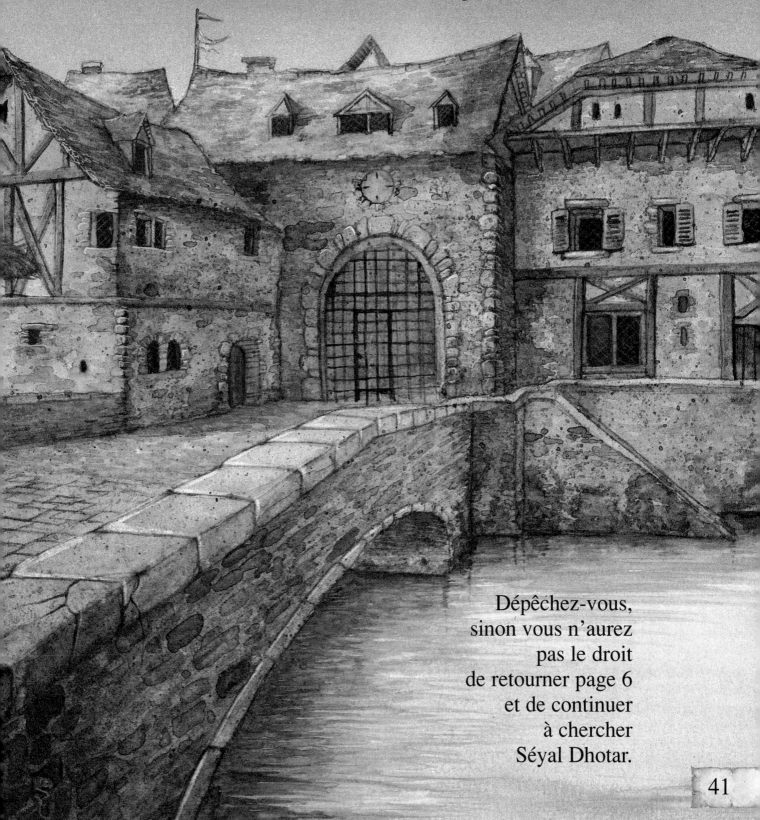

Dépêchez-vous, sinon vous n'aurez pas le droit de retourner page 6 et de continuer à chercher Séyal Dhotar.

Le passage secret donne sur ces deux couloirs. Attention, les torches accrochées aux murs sont en train de s'éteindre ! Pour ne pas vous retrouver dans le noir, cherchez le briquet ! Une fois la lumière revenue, où allez-vous ?

Vous descendez cet escalier ?
Allez page 22.

42

Vous ouvrez
cette porte ?
Allez page 20.

Vous avez compulsé le vieux
catalogue de la bibliothèque.
Il vous a appris que dix précieux
grimoires marqués d'une étoile
se cachent parmi les autres livres.
Trouvez-les, votre Maître sera
certainement très content
que vous les lui rapportiez.
	Peut-être même
vous récompensera-t-il !

Empruntez-vous le couloir? Dans ce cas, allez page 42.

Vous ouvrez cette porte? Allez page 28.

SOLUTIONS

PAGE 10 Couper avec la lance, derrière le tonneau,
les deux ficelles qui retiennent l'enseigne
pour assommer la sorcière.

PAGE 18 • couleur des cheveux
• boucle d'oreille
• collier
• motif sur le devant de la robe
• couleur des manches bouffantes
• bijou sur l'avant-bras
• galon du bas de robe

PAGE 22 Il faut mettre votre mélange magique dans le tube de droite.

PAGE 24 • couleur des yeux
• couleur du bec
• motifs de la queue
• forme du signe sur leur poitrine

PAGE 26 Les barreaux du balcon, à droite, ont la forme de quilles.

PAGE 30 De gauche à droite :
• l'enfant n° 1 avec le n° 4
• l'enfant n° 2 avec le n° 5
• l'enfant n° 3 avec le n° 6

PAGE 34 • deux serpents
• deux couteaux
• deux araignées
• une bouteille de poison
• un petit monstre
• un sécateur

Vous trouverez les pendentifs :
pages 8, 14, 16, 22, 24, 30, 34